S0-AZW-360

# A Cada Paso

## LENGUA, LECTURA y CULTURA

**Conrad J. Schmitt**

**Webster Division, McGraw-Hill Book Company**

New York • St. Louis • San Francisco • Auckland • Bogotá • Düsseldorf
Johannesburg • London • Madrid • Montreal • New Delhi • Panama
Paris • São Paulo • Singapore • Sydney • Tokyo • Toronto

**Editor:** Joan Saslow
**Editing Supervisor:** Alice Jaggard
**Design:** Lisa Delgado Pagani
**Production Supervisor:** Karen Romano

**Copy Editing:** Suzanne Shetler

**Illustrations and Layout:** Jack Weaver

The author is deeply indebted to the following people for
their assistance in the development of the original manuscript.

Ms. Lidia Calonge: Coordinator of Bilingual Education,
San Antonio Public Schools, San Antonio, Texas

Mr. John Duvanich: Curriculum Coordinator, San Ysidro
Public Schools, San Ysidro, California

Ms. Nilda Ugarte: Teacher of Spanish, Hackensack Public
Schools, Hackensack, New Jersey

Ms. Marta Urioste: Coordinator of Bilingual Education,
Denver Public Schools, Denver, Colorado

Cover Photo: Marcia Weinstein

**Library of Congress Cataloging in Publication Data**
Schmitt, Conrad J
  A cada paso.

  SUMMARY: Elementary school texts for
Spanish speakers in bilingual programs, which
provide Spanish language development and basic
social studies concepts.
  1. Spanish language—Grammar—1950–
—Juvenile literature.   [1. Spanish language—
Grammar]   I. Title.
PC4112.S338    468′ .6′421      77-9635
ISBN 0-07-055489-7

Copyright © 1978 by McGraw-Hill, Inc. All Rights Reserved. Printed in the
United States of America. No part of this publication may be reproduced, stored
in a retrieval system, or transmitted, in any form or by any means, electronic,
mechanical, photocopying, recording, or otherwise, without the prior written
permission of the publisher.

a

e

i

o

u

# ma me mi mo mu

mamá

mi

mamá

ama

amo

mi mamá me ama        amo a mi mamá

4

# pa pe pi po pu

papá

Pepe

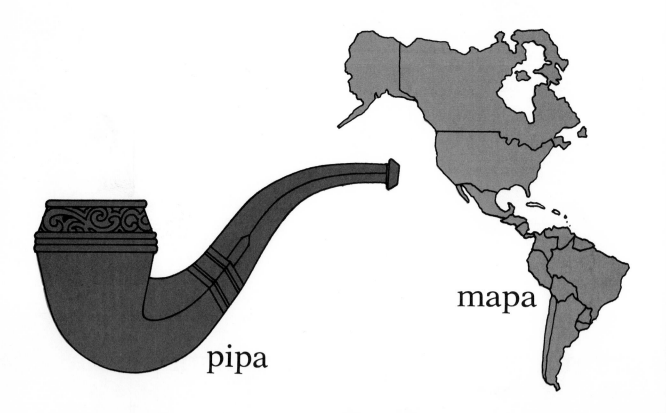

pipa

mapa

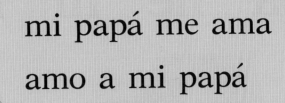

mi papá me ama

amo a mi papá

Pepe me ama

amo a Pepe

mi mamá me ama

amo a mi mamá

amo a mi papá

mi papá me ama

Pepe me ama

amo a Pepe

# na ne ni no nu

nena

nene

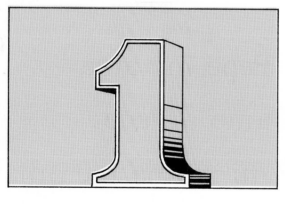

uno

mono

papá ama a nena

una nena me ama

mamá ama a nena

nena ama a mamá

# Ana ama a una mona

# en

en una pipa

# da de di do du

dama

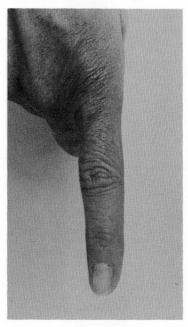
dedo

nido

mi dedo

dame mi dedo

dime

Ana no me da nada

# la le li lo lu

lana

pala

ala

mula

lima

luna

la pala de papá

la lima de mamá

la mula de la nena

la nena ama al mono

# al   el

el mono

mamá ama al nene

la nena ama a la mula

# ta te ti to tu

| tapa | tela | tomate |
|------|------|--------|
| pato | pelota | lata |

# el pato nada

toma tu pelota

una lata de tomate

la tela de mamá

tapa la lata

dame mi pato

# sa se si so su

sala      sapo      oso

sopa      mesa      Susana

la sopa en la mesa

el sapo no nada en la sala

Susana toma la sopa

# as

## las monas

# es

el sapo está en la sopa

# os

los sapos

# ba  be  bi  bo  bu

loba

bebé

nube          bota          bola

una nube tapa la luna

una bola bonita

una bota bonita

# ca   co   cu

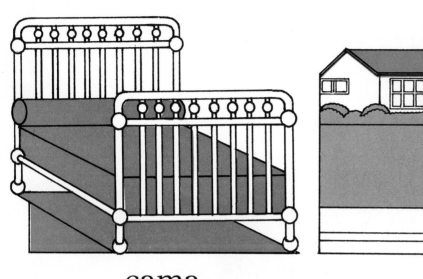

cama

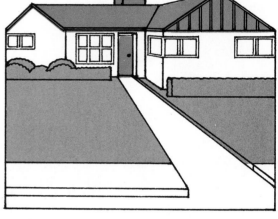

casa

cola

cuna

la cama está en la alcoba

la cama de la nena

la cola de la mula

la camisa de papá

mamá come la comida

la casa de mamá

la comida de papá

# fa fe fi fo fu

café

fila

foca

foto

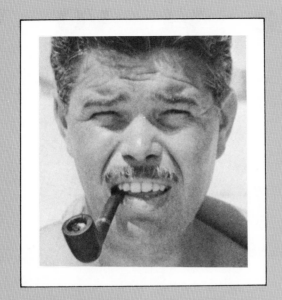

una foto de papá

papá fuma una pipa

papá fuma una pipa en la foto

mamá toma café

papá toma café

# va  ve  vi  vo  vu

vaca

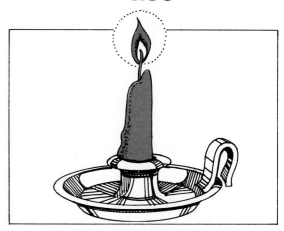

vaso

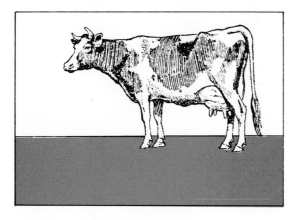

uva

vela

nave

la vaca me ve

papá lava el vaso

mamá come una uva

Elena ve la nave

mamá va a casa

la vaca se ve fea

Pepe ve el vaso en la mesa

# ga go gu

gato

amiga

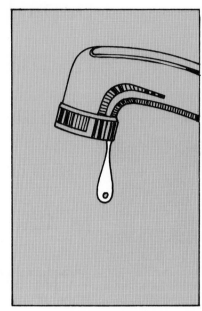

gota

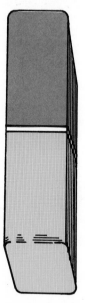

goma

lago

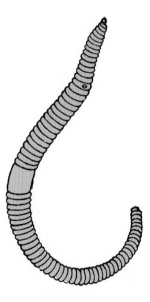

gusano

una pelota de goma

la amiga de mamá

se ve el lago en la foto

mi amigo ve el lago

mi gato ve la gota

# ña ñe ñi ño ñu

niña

piña

muñeca

niño

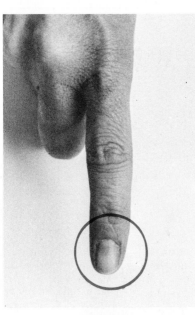

uña

la niña ve la muñeca

la uña de mi dedo

la muñeca se ve bonita

la niña come piña

# ra re ri ro ru

rana

remo

risa

rosa

ropa

ruta

la risa de papá

la ruta a casa

la niña rema

la rosa de la nena

la rana está en el lago

la ropa de Rosita

# rra rre rri rro rru

torre    perrito    burro    carro

el perro ve el burro

el perro corre

el carro de mamá

papá ve la torre

# ra re ri ro ru

 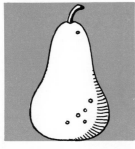  

cara      pera      mariposa      loro

la mariposa se ve bonita

el loro se ve bonito

la cara de la nena

dame una pera para papá

me lavo la cara

# cha che chi cho chu

muchacha

chamaco

leche

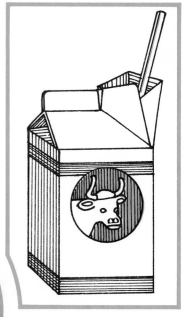

noche

muchacho

ocho

chuleta

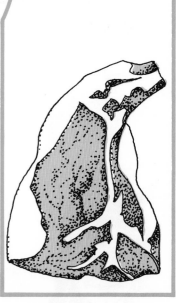

el coche va rápido

un muchacho ve a la muchacha

la muchacha toma chocolate

la nena toma leche

# lla  lle  lli  llo  llu

llave

silla

calle

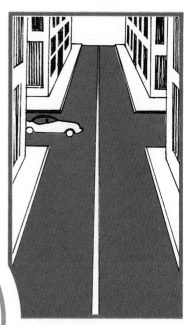

pollito

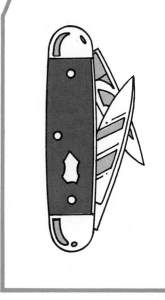

gallina    caballo    cuchillo

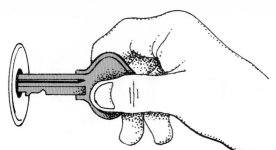

la llave de mi casa

la gallina mira al pollito

la silla de la sala

Pepe lava a su caballo

la mula ve al caballo

# ha he hi ho hu

hacha helado

hilo hoja humo

mira esa hoja bonita

la niña toma helado

sale humo de la pipa

# ja je ji jo ju

pájaro  abeja  tejado

conejo  ojo  jugo

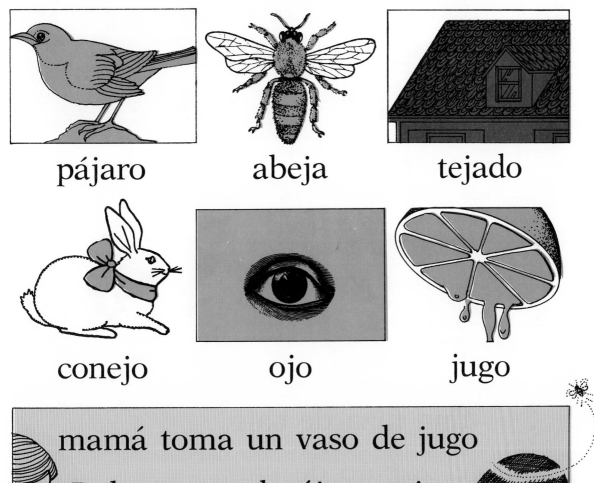

mamá toma un vaso de jugo

Roberto ve al pájaro rojo

la abeja no pica a José

el conejo se ve bonito

el tejado de la casa

# za  zo  zu

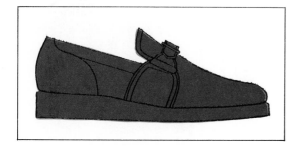

zapato

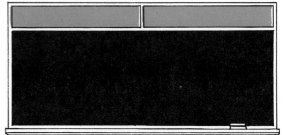

pizarra

taza

zorra

una taza de café

el zapato de papá

Paco ve la pizarra

la oveja teme a la zorra

# ce ci

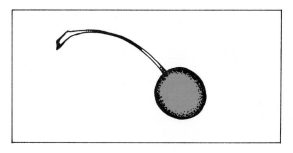

cereza

cebolla

cena

cinco

cocina

Teresa come una cereza.

Papá cena en la cocina.

La cebolla está en la mesa.

La mesa está en la cocina.

# gue gui

guisante

guiso

guitarra

Mi mamá toca la guitarra.

Mi papá toca la guitarra.

Pone guisantes en el guiso.

Mi amiguito me ve.

Mi perro me sigue.

# que  qui

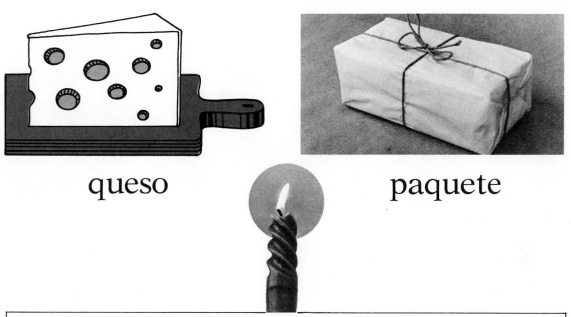

queso                    paquete

Paquita come queso.

Quita el paquete de la cama.

Una vela quema.

Paquita come aquí.

La niña pequeña lo quita de la mesa.

# ca que qui co cu

cama                    casa

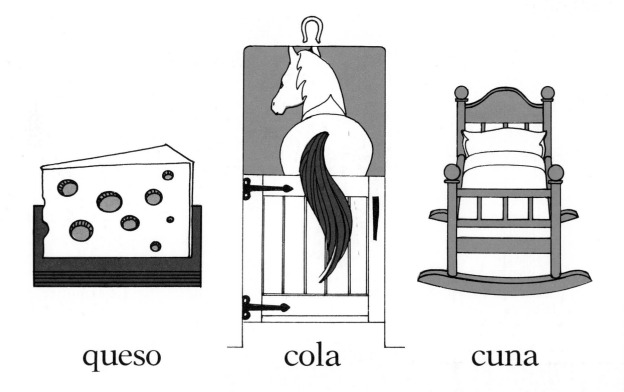

queso          cola          cuna

Quita la muñeca de la cuna.

Paquita toca la cola de la mula.

Quita mi paquete de la cama.

Pepe ve la casa pequeña.

# ga gue gui go gu

### gato

### guiso

### guitarra

gota

### goma

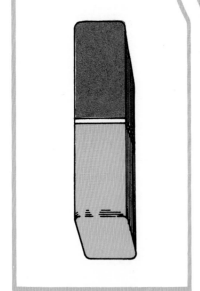

### lago

### gusano

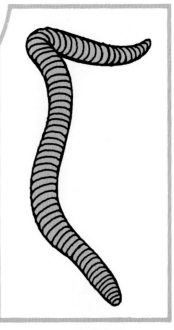

Mi amiga ve el lago.

Mi gato mira la guitarra.

Mi amiguito ve la pelota de goma.

# br cr dr fr gr pr tr

brazo      crema      madre

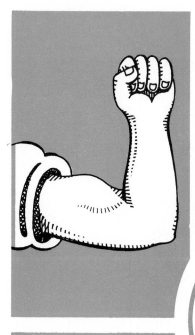

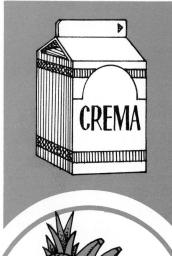

fruta

fresa      tren      traje

El traje negro se ve bonito.

Tengo tres libros.

Mi padre lleva su abrigo.

Mi madre toma el tren.

La fresa es una fruta.

# bl cl fl gl pl

blusa

clase

flor

globo

plaza

La niña lleva una blusa a clase.

El niño ve un globo blanco.

La rosa es una flor.

# ia   ie   io   iu

piano         lluvia         pie

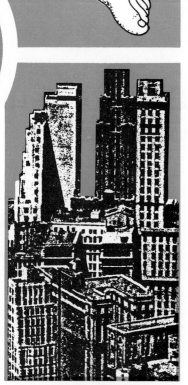

pierna

labio         radio         ciudad

Lidia toca el piano.

El pie es una parte de la pierna.

Papá anda a pie por la ciudad.

El niño tiene una pierna rota.

En invierno cae mucha lluvia.

En invierno nieva mucho.

# ua   ue   ui

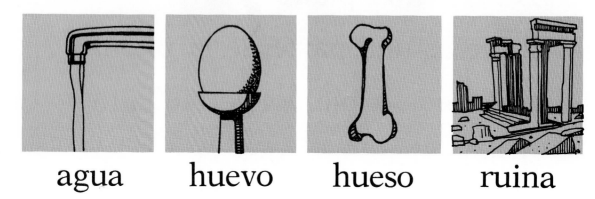

agua     huevo     hueso     ruina

La gallina pone huevos.

Me duele la muela.

Juan no puede salir cuando llueve.

Sale una gota de agua.

Juana cierra la puerta.

# ai  ei

caimán    baile    peine    reina

Aquí viene un caimán.

Es un baile al aire libre.

La reina tiene un peine.

# au eu

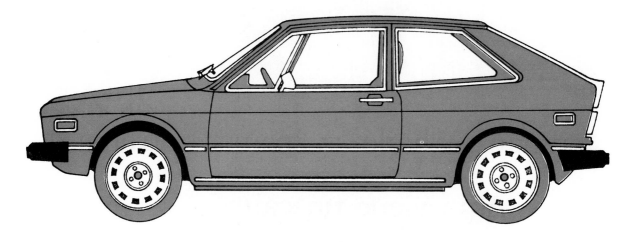

auto

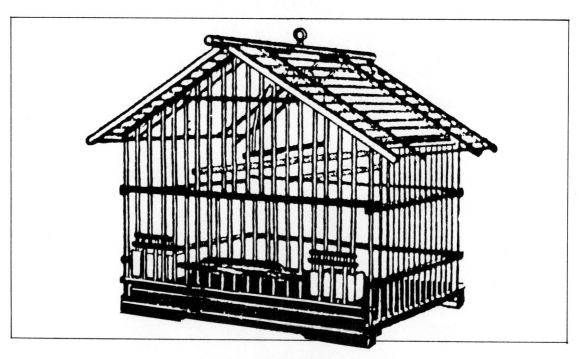

jaula

# El pájaro no sale de la jaula.

# El auto es europeo.

# ay  oy

hay

voy

soy

doy

hoy

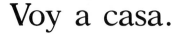

Voy a casa.

Hoy voy a clase.

Hay un libro en la mesa.

Le doy el libro a mamá.

# y

y

Teresa y Carlos corren.

Comemos cerezas y fresas.

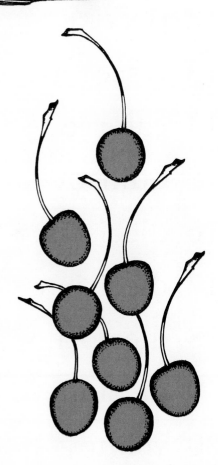

# Vamos a contar

| 1 uno | 11 once |
|---|---|
| 2 dos | 12 doce |
| 3 tres | 13 trece |
| 4 cuatro | 14 catorce |
| 5 cinco | 15 quince |
| 6 seis | 16 dieciséis |
| 7 siete | 17 diecisiete |
| 8 ocho | 18 dieciocho |
| 9 nueve | 19 diecinueve |
| 10 diez | 20 veinte |

## Cosas que tengo que saber

Me llamo _____.

Vivo en la calle _____.

Mi número de teléfono es _____.

Tengo _____ años.

Mi escuela se llama _____.

Estoy en el _____ grado.

Mi maestra se llama _____.

# Yo

Me llamo Pancho.

Tengo _____ años.

Asisto a la escuela.

Mi maestra es _____.

Respeto a mi maestra.

Me llamo María.

Tengo _____ años.

Asisto a la escuela.

Mi maestra es _____.

Respeto a mi maestra.

# Mi escuela

Yo asisto a la escuela.

Mi escuela es bonita.

Nuestra sala de clase es grande.

Tiene muchos pupitres.

Tiene una pizarra.

La maestra escribe en la pizarra.

Yo aprendo mucho en la escuela.

Sé leer y escribir.

Mi maestra me enseña.

Ella me enseña a leer y a escribir.

Yo respeto a mi maestra.

# Mis amigos

Yo tengo muchos amigos.

Yo juego con mis amigos.

Tenemos una pelota.

Vamos al parque.

Jugamos en el parque.

Corremos y saltamos.

# Mi perrito

Yo tengo un perrito.

Mi perrito se llama Choto.

Choto va al parque.

Choto va al parque conmigo.

Choto corre y corre en el parque.

Choto es un buen perrito.

Choto es mi amigo.

Choto y yo somos buenos amigos.

# La rana

¡Ay, mira la rana!

La rana. La rana.

Mira como salta la rana.

Salta y salta.

¡Ay! ¿Dónde está la rana ahora?

Ay, rana, ¿dónde estás?

Mira. Allí está la rana.

Salta en el agua.

## Las letras mayúsculas

A B C CH D E F G H I
J K L Ll M N Ñ O P Q
R Rr S T U V W X Y Z

## Las letras minúsculas

a b c ch d e f g h i j k
l ll m n ñ o p q r rr s t
u v w x y z

# Es el alfabeto

Aa  Bb  Cc  Ch ch  Dd  Ee  Ff
Gg  Hh  Ii  Jj  Kk  Ll  Ll ll  Mm
Nn  Ññ  Oo  Pp  Qq  Rr  Rr rr  Ss
Tt  Uu  Vv  Ww  Yx  Yy  Zz

# Nombres

| Juan | Jaime | María | Paquita |
|------|-------|-------|---------|
| Pepe | Roberto | Elena | Marta |
| Diego | Luis | Carmen | Margarita |
| Carlos | Antonio | Teresa | Luisa |
| Jesús | | | Olivia |

# Voy a aprender los colores

| | |
|---|---|
| amarillo | pardo |
| verde | azul |
| rojo | gris |
| negro | rosado |
| blanco | anaranjado |

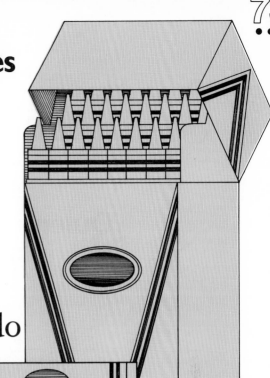

# Los días de la semana

lunes

martes

miércoles

jueves

viernes

sábado

domingo

## Preguntas

**¿Quién?**

¿Quién corre al parque?

¿Quién es tu maestra?

¿Quién es tu amigo?

¿Quién es tu amiga?

¿Quién eres tú?

# ¿Qué?

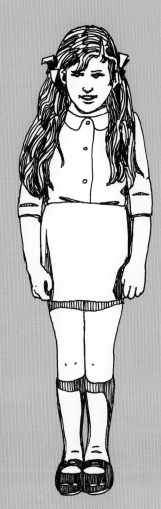

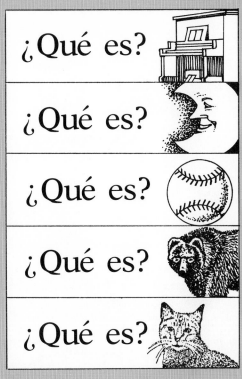

¿Qué es?

¿Qué es?

¿Qué es?

¿Qué es?

¿Qué es?

¿De qué color es tu camisa?

¿De qué color es tu pantalón?

¿De qué color es tu blusa?

¿De qué color es tu falda?

## ¿Dónde?

¿Dónde estás?

¿Dónde está tu casa?

¿Dónde está tu escuela?

¿Dónde está tu maestra?

¿Dónde vives?

# ¿Cuándo?

¿Tienes clases los lunes?

¿Cuándo tienes clases?

¿Vas al parque los sábados?

¿Cuándo vas al parque?

¿Vas a visitar a la abuelita
 los domingos?

¿Cuándo vas a visitar
 a la abuelita?

## ¿Cuántos?   ¿Uno o dos?

¿Cuántos libros tienes?

¿Cuántos lápices tienes?

¿Cuántos dedos tienes?

¿Cuántos brazos tienes?

¿Cuántos ojos tienes?

1 2 3 4 5 6 7 8 9 10  DODO  86 85 84 83 82 81 80 79 78 77